L'ÉLIXIR D'AMOUR

ERIC-EMMANUEL SCHMITT

L'ÉLIXIR D'AMOUR

roman

ALBIN MICHEL

IL A ÉTÉ TIRÉ DE CET OUVRAGE

Trente exemplaires
sur vélin bouffant des papeteries Salzer
dont vingt exemplaires numérotés de 1 *à* 20
et dix exemplaires, hors commerce, numérotés de I *à* X

Louise,

Si tu m'écoutes, bonjour.

Si tu ne m'entends pas, adieu.

Selon ta réaction, cette lettre constituera le début ou la fin de notre correspondance.

Devant moi, un soleil flétri se lève et je contemple Paris auquel octobre donne la pâleur d'une bête indisposée, tourmentée par les feuilles mortes, incommodée par les circulations tapageuses, avide d'une paix qui tarde. Vivement l'hiver. La langueur de l'été s'efface et la capitale s'impatiente d'obtenir le froid, le sec, le clair. Deux saisons suffisent à une ville, la suffocante et la glaciale.

Louise, transformons notre passion blessée en

affection sereine. Crois-moi, durant ces dernières années j'ai apprécié davantage en toi que ta peau, tes cuisses ou nos étreintes, j'ai aussi adoré la femme que tu es, ton intelligence piquante, ta repartie, tes moqueries, tes enthousiasmes. Pourquoi l'éloignement me priverait-il de cette merveille ? Suis-je condamné à te perdre ? Le sexe demeurait-il l'unique ticket d'accès ?

En revanche, j'exclus tout message dégoulinant de frustrations, graissé d'appels à la tendresse ou de sursauts génitaux, tel ce torchon humide, hystérique, vaginal, qui a envahi mon écran ce matin et que j'ai fourré à la poubelle en appuyant sur la touche « Supprimer ». Notre liaison s'achève, Louise, rends-t'en bien compte, évite le déni. Nous ne dormirons plus ensemble et nous habiterons désormais à des milliers de kilomètres.

Quand un sentier se termine, un autre se profile. D'amants, devenons amis. Pourquoi pas ? Entre nous l'amitié n'a encore jamais existé.

S'il te plaît, ne gâche pas nos bons souvenirs par ton désir qu'ils n'en soient pas.

Adam

Adam,

Si l'amitié est le mouroir de l'amour, je hais l'amitié.

Louise

Ma chère Louise,

Seule la peau sépare l'amour de l'amitié. C'est mince…

Adam

Cela te semble mince ? Cela me paraît une muraille.

Louise

Louise,

La peau se fatigue, l'esprit non. Que nos corps s'attirent moins, que nos hanches éprouvent un besoin plus ténu de s'emboîter, que mon sexe ait reposé auprès du tien sans le chercher autant que les premières années n'implique pas que ma pensée t'a chassée, loin de là. Au cours de cette journée, par exemple, j'ai songé à te raconter les événements cocasses qui m'arrivaient, j'ai désiré partager le livre, le film ou la musique découverts, je t'ai soumis des questions, des réponses, dédié des sourires, des soupirs, des exclamations ; bref, nous ne nous sommes jamais quittés.

En réalité, je soupçonne la sensualité d'être aussi superficielle que l'épiderme dont elle se sert. Tu trônes bien au-delà des spasmes. Incrustée pleinement en moi, plus que ne l'aurait réussi une simple anatomie plaisante, tu t'es gravée dans mon imagination, mon futur, mes souvenirs.

Oui, si la peau s'use, se ride, se dessèche, l'esprit se fortifie. L'amitié compose la suite logique d'un amour vrai. Je ne croyais pas t'offenser en te l'offrant.

Adam

Adam,

Toute concession me coûte. L'amitié après l'amour m'humilierait. Aménager une immense passion en petit studio cordial ne me tente pas, je préfère me retrouver carrément à la rue.
Salut.

Louise

Louise, Louise, Louise…

Ma sauvage, mon emportée, tu te cabres !
Alors c'est tout ou rien ? Louise en entier ou pas
de Louise ? Feu ou cendre, tu refuses les
braises…

Quelle belle folie !

Folie pourtant…

Tu as le goût de l'absolu mais cet idéalisme
conduit au malheur. Tes exigences vont nourrir
ta frustration. Plus tu mangeras, plus tu salive-
ras. Si ce que tu vis doit être parfait, exhaustif
en même temps qu'exclusif, renonce plutôt à
vivre. Aucune relation ne se hissera à la hauteur
de tes aspirations ; tu atteindras l'amour rêvé,
jamais l'amour réel.

Oh, tu m'inquiètes, Louise… On dirait que tu sors de notre histoire comme une veuve qui entend prolonger son couple par le chagrin. Considères-tu que la douleur constitue le succédané de la passion ? Comptes-tu habiller ton existence de noir ? Je ne te reconnais pas.

Ton ancien chéri et néanmoins ami,

Adam

Louise,

Tu me boudes ?
Tu me hais ?
Tu m'oublies ?

Ton Adam

Louise,

Je te prie de me répondre, y compris par un mot brutal.

Si tu ne réagis pas, je monte demain dans un avion.

Adam

Cher Adam,

Comme ton courrier m'a amusée !

Ainsi je nierais notre séparation ? L'orgueil t'aveugle... Souviens-toi que c'est moi qui suis partie.

De mon propre chef, j'ai placé un océan entre nous ; appartement, vêtements, climat, latitude, longitude, j'ai tout changé sans hésitation afin de suivre mon étoile. Tu résides à Paris tandis que je me fixe au Québec.

Moi veuve ? inconsolable ? Tu t'enfumes, Adam, en conjecturant que te quitter s'avère insupportable, que je demeure pantelante, estropiée... De nous deux, tu me sembles le plus démuni devant notre nouvelle situation dans la mesure où tu me harcèles, où tu m'infliges ta sollicitude, tes affres, ta solitude, où tu m'envoies tes pensées quotidiennes en geignant que mes réponses restent lapidaires.

J'ai peu de temps à te consacrer, mon cher. N'oublie pas que je m'installe à Montréal, ce qui me contraint à régler de nombreux problèmes – papiers administratifs, déclaration fiscale, loyer, décoration. Certes, le cabinet d'avocats qui m'a engagée m'accompagne en ces démarches mais il me confie déjà des clients dont je dois étudier les dossiers. Une journée de vingt-quatre heures finit trop tôt.

Néanmoins, je m'assois ce soir face à l'écran pour t'accorder quelques minutes.

Oui, notre passion de cinq ans avait la puissance d'une tempête, jamais je n'avais connu une telle relation, fusion des corps, des âmes, des bouches, des mains, des goûts et des idées. Tant d'intensité me persuada que notre entente durerait : ces étincelles préfiguraient le feu de l'éternité. Hélas, il m'a fallu déchanter… Nous nous sommes moins désirés, toi d'abord, moi ensuite, puis tu as multiplié les aventures ostensibles avec des femmes. Oh, ta franchise, je ne te la reproche pas, elle m'a épargné du temps : s'il y a des amours qui meurent de doute, le mien est mort de certitude. J'ai rompu.

Quoique notre déchéance m'ait tourmentée, notre éloignement m'apaise. Plus l'attachement est fort, plus douce devient la déchirure. On sous-estime les bienfaits des ruptures ; un divorce compte autant qu'une rencontre puisqu'il inaugure un choix d'existence. En ce moment, je dois t'avouer que je me sens très rassérénée car il y a quelque chose d'humiliant dans la passion amoureuse dont je suis contente de me débarrasser.

Enfin seule. Et heureuse enfin.

Aussi, depuis mon emménagement, tes courriers sont-ils restés aux portes de ma vie, chétifs ambassadeurs d'un monde révolu, désuets, telles des cartes postales qui se seraient égarées en route et dont les couleurs auraient blêmi jusqu'à l'effacement.

Coup de chance, la soirée que j'ai passée Place des Arts a éveillé une envie de t'écrire. Figure-toi qu'on y jouait *L'Élixir d'amour*, cette œuvre qui, il y a cinq ans, à l'Opéra de Paris, nous offrit l'occasion de nous côtoyer, amenés par Paola et Frédéric, nos amis communs.

Au fond de mon cerveau, une part débile, élégiaque, langoureuse, escomptait fondre en sanglots au ravivement de ce souvenir… or ni nostalgie ni larme furtive, à la différence du ténor qui, lui, dut bisser *Una furtiva lacrima*. Au lieu de m'apitoyer, je réfléchissais au cœur de cette intrigue : comment provoquer l'amour ?

Tu te rappelles qu'au premier acte, Adina, la belle villageoise, lit la légende selon laquelle un philtre a uni deux jeunes gens, Tristan et Iseult. Une telle potion existe-t-elle ? Dans cette comédie, la bouteille vendue par un arnaqueur au pétulant Nemorino ne contient que du vin de Bordeaux mais la question m'a turlupinée. Y a-t-il un moyen de susciter la passion ?

Tranquillise-toi, je ne cherche pas cet « élixir d'amour » pour me l'administrer ni le verser à quiconque – toi ou un autre ; il représente pour moi une façon de cerner l'essence du sentiment. L'amour relève-t-il d'un processus matériel, chimique, d'un brassage de molécules reproductible par la science ? Ou constitue-t-il un miracle spirituel ?

Tu voulais de l'amitié… Eh bien, amorçons-la, cette amitié, en méditant sur l'amour.

Louise

Ma chère Louise,

Ta réponse m'a soulagé car j'avais peur.

Ton départ précipité, ta lettre me pressant soudain de revenir, puis ta circonspection après ma riposte m'avaient fait craindre que tu n'uses ton énergie à t'attrister. De par mon métier, j'ai rencontré nombre de patientes chez qui, lors d'une séparation, la souffrance devient une habitude, dissout les autres sensations, empêche de nouveaux délices, modifiant la manière de voir la vie jusqu'à la rendre intolérable. Ces femmes sombrent dans des orgies de douleur où, scrupuleuses, elles s'efforcent d'être très malheureuses, le plus malheureuses possible. Si elles ne se suicident pas, leurs jours se poursuivent en morosité pétrifiée, en nécrose, en cancer.

Toi, tu mords toujours – ce qui me ravit. Exerce donc tes crocs sur moi.

Je réagis à l'une de tes phrases, celle qui évoque mon infidélité.

Les hommes font l'amour pour jouir, pas pour dire qu'ils aiment. Quand j'allais rejoindre des maîtresses, je n'entaillais pas mon attachement pour toi, je ne t'adorais pas moins, j'ambitionnais seulement de prendre du plaisir et de leur en dispenser.

Une colossale erreur fausse les relations humaines : l'idée que le cul et le sentiment sont un même pays. Or le sexe et l'amour occupent deux territoires différents. Si l'amour envahit le champ de la sexualité, laquelle, bonne fille, l'a laissé entrer, il n'existe pourtant aucun rapport entre le désir et l'affection.

Ma chère Louise, vibrer pour toi ne diminuait pas mes besoins, notre entente complète n'engendrant ni l'apaisement de mes sens ni l'accalmie de mes fantasmes. Pourquoi as-tu pris mes aventures avec des beautés de passage pour un geste qui t'insultait ? voire te concernait ? Rien ne t'était adressé.

Il faudrait reconstruire le lexique et isoler ces deux mondes distincts, celui du sexe, celui de l'amour, en bannissant tout terme commun.

Aussi l'amitié me paraît-elle une relation pure, exemplaire, lumineuse, puisque non polluée par la chair, ses frottements ou les échanges de fluides. Elle désigne la droite allée de l'amour. Je te la propose encore.

Bien à toi,

Adam

P-S. Quant à ta question sur « l'élixir », j'y réponds évidemment par la négative. Aucune substance n'entraîne la passion. Aucun comportement non plus, malgré ce que prétendent les méthodes des dragueurs ou les vantardises des coquettes. Peu importe ce que nous nommons amour – convoitise ou sentiment –, l'allumage de ce feu demeure un mystère.

Adam,

As-tu vu ?

Un paparazzi a surpris le Premier ministre du Canada dans les bras de sa maîtresse en train de l'embrasser à pleine bouche. Les gens ne parlent plus que de ça ici... Les partis d'opposition réclament sa démission, ses complices politiques dénoncent le flingage puritain, et les avis de la population fluctuent. En tout cas, si cela ne lui coûte pas encore son portefeuille, cela mine déjà son autorité.

L'a-t-on su en France ? Et toi, qu'en penses-tu ?

Louise

Il est coupable d'adultère ?

Il est coupable de mariage !

Comment peut-on aller devant un maire ou un curé pour garantir qu'on ne touchera jamais une autre femme que la sienne ? Quel homme raisonnable dirait cela s'il n'y était contraint ?

Mon opprobre va aux épousailles et à leur serment de chasteté, pas à l'adultère, qui me paraît un réveil sain de la nature.

Adam

P-S. Oui, nous discutons beaucoup de ton Premier ministre ici. Quoique, au fond, nous

nous fichions de son sort, il ménage à chacun l'occasion de tester ses proches sur leur orientation sexuelle et morale. Il nous sert de boussole.

Adam,

Ce matin, je suis passée chez ma voisine, histoire de lui prodiguer des amabilités de commère, et son chat m'a convaincue que tu avais balayé ma question sur l'élixir d'amour d'une façon trop légère…

Rrrou – c'est ainsi que le félin s'appelle – s'est approché d'une plante qui ornait un pot, a marqué un brusque arrêt, relevé sa lèvre supérieure, puis, en inspirant l'air par la bouche, front plissé, pattes raidies, a essuyé son museau rose contre les herbes, tandis que sa gorge vibrait de ronronnements à chaque instant plus forts, entre le chant et le malaise. En quelques secondes, il s'enivra de tourner, la queue droite, l'iris traversé d'éclairs, le souffle court.

– C'est de la menthe à chat, m'expliqua ma voisine en notant mon ébahissement. Elle fait fuir les insectes et attire les félins.

Rrrou feula, agacé que les tiges vertes ne répondissent pas à ses avances.

– La népétalactone déclenche des phéromones sexuelles dans son cerveau, c'est l'effet de ce terpène, précisa-t-elle comme s'il s'agissait d'une banalité.

Sur le coup, je ne sus ce qui me médusa davantage, le comportement de Rrrou ou le vocabulaire de ma voisine.

– Cela excite aussi les tigres, ajouta-t-elle.

– Et les hommes ?

– Ça les endort.

À ce mot, nous avons ri, elle parce qu'elle se moquait des humains, moi parce que j'en concluais que les rêves contenaient nos meilleurs épisodes amoureux.

Au bureau, profitant de la pause déjeuner, je me suis renseignée. Depuis des millénaires on préconise des philtres, potions, parfums, prières, rites, formules ésotériques ; seul le fournisseur varie – la médecine, la religion, la superstition, la magie blanche, rouge ou noire. Ces marabouts du métro parisien qui nous divertissent tant lorsqu'ils distribuent aux voyageurs leurs prospectus promettant l'enchantement de l'être désiré ou le retour de l'être élu prolongent une tradition selon laquelle le hasard ne gouverne pas les sentiments. Quand nous tombons amoureux, nous chuterions en fait dans les filets – les bras – d'un autre. Une manipulation aurait conditionné notre culbute.

Songes-y avec attention et dis-moi ce que tu en penses.

Louise

P-S. Comment vis-tu ? Raconte-moi tes journées. Y a-t-il une nouvelle femme ?

Pas une femme, des femmes.
Personne ne te remplace, Louise.

Adam

Des femmes…

N'ont-elles pas un prénom ? une personnalité ? Tu me révoltes, Adam. Pourquoi les
hommes donnent-ils toujours l'impression de
mépriser celles qu'ils désirent ?

Des femmes…

N'es-tu pas lassé de cette chasse incessante ?

À ta place, je crèverais d'ennui.

Répéter les aventures n'a plus rien d'une
aventure.

Louise

Je préfère la chasse au gibier.

Adam

Cela ne s'appelle-t-il pas une névrose, dans ton langage ?

Louise

Cela s'appelle une bonne nature.

On ne souffre pas de ses désirs ; on souffre simplement du fait qu'une fois comblés ils renaissent, comme s'ils ignoraient la trêve de la satisfaction.

Et toi, as-tu pris un amant ? des amants ? Fréquentes-tu des hommes qui te plaisent ?

Adam

Personne.

Je vois les roses mais je n'en sens plus que les épines.

Louise

P-S. Et l'élixir d'amour ? Tu me parles de toi en oubliant de répondre aux questions qui m'occupent.

Chère Louise,

En réalité, tu as raison : le philtre existe !

Ce matin, en me rasant, j'ai percé le moyen de provoquer l'amour à coup sûr.

Quelle aubaine ! Et quelle farce aussi… Je m'en amuse depuis des heures, au point que je peine à me concentrer sur les propos de mes patients. Là, je vole une minute entre deux rendez-vous pour t'annoncer ma découverte mais j'ai hâte de te la raconter.

Bien à toi,

Adam

Cher Adam,

As-tu fini ?
Je brûle de te lire.

Louise

Adam,

Cruel ! Depuis que j'ai reçu ton mot, je guette le courrier chaque minute. Le suspense que tu m'infliges nuit au rendement ; si tu tardes trop, je vais perdre mon poste et ce sera ta faute !

Louise

Ma chère Louise,

Me voici enfin rentré et je lance ma bombe : je peux rendre n'importe quelle femme éprise de moi.

Tu ne devines pas ?

Adam

Adam,

Tu as du charme, un corps souple, des épaules sécurisantes, tu sens bon, ta main chaude électrise le bras qu'elle frôle, ta galanterie honore les femmes, ta compagnie plaît par sa culture mêlée d'humour, tes yeux savent signifier le désir en flattant celle qu'ils fixent et tu te révèles un excellent amant, mais ces qualités, quoique nombreuses, sont résistibles, mon cher, même si celle qui t'écrit ne sut s'en protéger naguère. N'imagine pas que toutes mes amies auraient voulu prendre ma place… Qu'est-ce qui te ferait triompher ? À part une fatuité hors du commun…

Une ancienne victime

Ma chère Louise,

Merci pour ce portrait flatteur qui me donne envie de me connaître, voire d'ébaucher un flirt avec moi.

Tu as raison, je ne suis pas un adepte de la modestie, j'y repère un défaut. La gloire ne constitue jamais l'éclat de la réserve, plutôt celui de la mégalomanie, rien de haut n'étant sorti d'un profil bas. Seul l'orgueil propulse l'individu, et encore faut-il une dose de vanité pour décupler ses forces. L'apparence de la modestie me suffit car elle s'avère l'arrogance qui scandalise le moins les médiocres.

Ta description, Louise, néglige un élément,

un seul, celui qui compte : mon métier de psy-chanalyste.

Par cette activité, je suis certain d'instaurer une cristallisation amoureuse. À un moment de la cure, le patient projette ses attentes et ses refoulements sur celui qui le soigne ; il s'enflamme pour son thérapeute avec lequel il veut entrer dans un rapport exclusif, soit char-nel, soit amical. Pendant cette période, le malade perd tout intérêt pour son traitement et ne se rend chez son médecin que dans l'intention de s'offrir une aventure. Cet épisode sentimental, Sigmund Freud l'a appelé le transfert, déclarant que « c'est la situation psychanalytique qui le provoque ».

Lors de notre formation, nos maîtres nous apprirent à le contrer afin de replacer l'analysé sur la voie de la guérison. Moi-même, j'ai lutté maintes fois contre ces *avances* qui en réalité font *reculer*. Te l'avouerais-je, je me suis trouvé du mérite à repousser deux ou trois femmes splendides qui, sans retenue, se donnaient à moi.

Voilà, j'ai découvert ton élixir d'amour.

Quelle récompense ai-je remportée ?
Salutations de celui qui n'utilisa pas ses dia-
bleries sur ta personne,

Adam

Louise,

Que se passe-t-il ?
Il y a trois jours, tu m'as adjuré de t'écrire, et depuis ma réponse, tu gardes le silence.

Adam

Cher Adam,

Il y a des choses dont il faut prendre l'habitude avant d'en avoir le goût : le café, la cigarette, les brocolis, la solitude.

Je m'efforce d'apprivoiser cette dernière puisque c'est ma nouvelle compagne.

Louise

Louise,

Je ne veux pas croire que mon message t'ait chiffonnée.
Un accident t'est-il arrivé ?

Adam

P-S. Ta tiédeur me glace.

Adam,

Étrange comme la distance t'oppresse ! Je n'ai pas souvenir que tu te sois alarmé lorsque nous vivions à Paris…

Apaise-toi : rien de neuf au registre des faits divers. Je ne suis ni passée sous une voiture ni tombée au fond du fleuve Saint-Laurent ; mon estomac a survécu au steak de wapiti, à la poutine et au sirop d'érable.

Pardon de me montrer si abrupte, mais puis-je te demander un service ?

Oui ? Merci.

En réalité, j'en ai trois :

1) M'envoyer un flacon de mon parfum, *Cuir de Russie*, une rareté qui ne s'achète qu'à la

maison mère Chanel, rue Cambon. Naturelle-
ment, je te rembourserai.

2) Vérifier qu'une édition précieuse des *Liaisons dangereuses* ne se cache pas parmi tes
affaires. Je ne la déniche plus dans mes cartons.
Certes, le texte, je pourrais l'acquérir n'importe
où, mais cet exemplaire-là, en cuir brun, au
papier bible aussi fin que résistant, reste le seul
présent que me fit mon père.

3) Pourrais-tu dépanner l'une de mes collègues
juristes qui se rend en France ? Elle cherche un
logement peu onéreux à Paris – autant chercher
une poule qui aurait des dents – et je me suis
rappelé que ton cousin Simon louait des studios
aménagés sous les combles… Ils sont mignons,
bien situés et conformes à son budget. Si tu me
donnes ton feu vert, je la mets en rapport avec
toi.

Quant à ton élixir d'amour, j'y réfléchis, cher,
en me documentant. Tu sourirais en voyant,
entourée de voyageurs qui lisent des romans
noirs ou roses, ta Louise la tête plongée dans *La
Technique psychanalytique* de Sigmund Freud
pendant ses trajets en métro. Certes, ce genre de

lecture n'est pas censé appâter, or, à ma grande surprise, il m'a valu d'être draguée par des étudiants au corps mince et interminable.

Je te laisse, les dossiers s'amoncellent sur le bureau.

Louise

Chère Louise,

Par courrier rapide, je t'ai expédié ce matin le parfum et le livre. Des deux émanait ton odeur, racée, fauve, fruitée, mêlant l'encens ténébreux au zeste de mandarine, présente au point que j'ai eu, fugacement, l'impression de t'empaqueter puis de te confier à un inconnu, le coursier, dont la face vineuse et les mains écailleuses me répugnaient.

Pour ta consœur juriste, tout est arrangé aussi. Elle n'aura qu'à sonner chez moi et je la conduirai à l'un des studios, rue Réaumur.

Excuse la brièveté de ma lettre. Un patient a tenté de se tuer aujourd'hui, ce qui m'oblige à intervenir. Viscéralement, l'incident m'ébranle.

Mon confrère, Frédéric Roux, après étude du dossier, a beau me répéter que je ne porte pas la responsabilité de cet acte, lorsque l'un de mes malades se suicide, cela m'empoisonne.

Bonne journée à toi qui la commences,

Celui qui voudrait la finir,

Adam

P-S. Depuis une semaine, Paris dort sous la pluie. Les ondées qui régénèrent la campagne endeuillent la ville en l'enveloppant d'un voile sinistre.

Louise,

Tu m'avais dissimulé que ta collègue, débarquée de la Belle Province, est une splendeur. Jeune, ingénue et pourtant impériale. Un corps de déesse. Des yeux myosotis. Si je l'avais su, c'est mon appartement que je lui aurais donné.

Quel type de femme est-elle, cette Lily ?

Adam

On lui a connu plusieurs liaisons, aucune solide.

Libre, sans projet précis, ravie de musarder en Europe, elle a l'illusion propre à toute jeune femme de se croire adulte.

Louise

Penses-tu que je peux l'inviter à dîner ?

Adam

Imprudent, n'entreprends rien de tel ! Les Canadiennes ne saisissent pas la courtoisie du Vieux Continent : elle se figurerait que tu la dragues.

Louise

Et alors ! C'est interdit ?

Adam

Je vois…

De toute façon, si tu souhaites l'emballer, baratiner serait contre-productif. Les Canadiennes prennent l'initiative, sinon elles s'enfuient.

Oui, je sais ce que tu marmonnes : quelle race déconcertante ! En fait, ces réflexes tiennent surtout aux paramètres de l'élevage en Amérique du Nord : féminisme et antimachisme. Le mâle n'a pas la vie aussi facile qu'en Europe.

Louise

P-S. De surcroît, tu ne coïncides pas avec son type d'homme. D'après ce qu'on me dit ici, elle jette son dévolu sur des partenaires sportifs, basketteurs ou joueurs de hockey, beaucoup plus jeunes que toi – bref, de son âge.

Chère Louise,

Je ne sais si tes conseils visent à m'aider à la conquérir ou à m'en empêcher.

Enfin, sans trop savoir pourquoi, je t'obéis. Peut-être pour le plaisir de t'obéir ?

Ton Adam

P-S. Bonne nouvelle : mon suicidaire se rétablit.

Et la pluie a cessé.

Cher Adam,

Ton élixir m'a tracassée deux semaines.

Après avoir lu, étudié, réfléchi, me voici prête à répliquer.

Tu t'illusionnes sur l'infaillibilité de ta méthode.

Déclencher l'amour grâce à la cure psychanalytique, cela se produisait à la naissance de cette pratique, à l'époque des pionniers, Freud, Ferenczi, Jung, Jones. Il semblerait même qu'Otto Rank utilisa souvent ces projections pour vivre sans vergogne des aventures avec ses belles patientes, dont Anaïs Nin…

Or le transfert s'est raréfié.

Pourquoi ?

La cure psychanalytique n'a guère changé, l'époque, si !

À la fin du XIXe siècle et pendant le premier quart du XXe siècle, la conversation ne roulait jamais sur la libido ; non seulement la pudeur et la pression chrétienne l'interdisaient, mais l'on manquait autant de mots que de concepts. Aujourd'hui, le monde tourne différemment. Films, romans, quotidiens, magazines, shows télévisés, émissions de radio, sites et blogs sur internet divulguent en continu un discours sur le sexe, lequel ne relève plus du tabou.

Aussi crois-je que Freud ou toi, vous vous trompez en estimant que le déplacement des sentiments sur la personne du médecin appartient au processus analytique. Ce transfert, loin de jaillir d'un mécanisme intérieur, provient de l'extérieur. Dans l'ordre ancien privé de paroles, le patient frissonnait tant d'évoquer ses envies, ses frustrations, ses fantasmes à un inconnu qui s'y intéressait que cela rendait le thérapeute affriolant ; en revanche, au sein d'une société où l'on discute de ses désirs, il se contentera de poursuivre sa cure. La disparition du transfert sanctionne la lascivité de notre temps.

Les psychanalystes fondateurs récupéraient le siège des curés dans l'antre chaud du confessionnal ; à leur instar, ils y gagnaient un ascendant charnel qui tenait surtout à l'environnement rigoriste, au culte du secret et à la disette de termes sensuels.

J'estime donc que tu t'exagères le pouvoir érotique de la psychanalyse.

Ou alors va exercer dans un régime pudibond et totalitaire.

Pourquoi pas en Corée du Nord ?

Bien à toi,

Louise

Louise,

Tu me provoques ?

Avant de repeupler Pyongyang, je vais donc te prouver que j'ai raison.

La démonstration a débuté ce matin.

Ta collègue Lily, la déesse qui vient du froid, celle qui porte des cuissardes comme si elle enfilait des après-ski sans noter qu'elle affole les Parisiens, a demandé à entamer une session d'analyse avec moi.

Bien que je n'aie plus de place pour un nouveau patient, j'ai accepté.

À cause de toi.

Premièrement parce que, m'ayant retenu de

la séduire, tu as rendu admissible que je la prenne parmi mes malades.

Secondement parce que j'établirai ainsi, n'en déplaise à ton scepticisme, que je possède l'élixir d'amour.

Des objections, Votre Honneur ?

Adam

Adam,

C'est très laid, ce que tu entreprends.
Je m'y oppose.

Louise

P-S. Et si je prévenais Lily ?

Ma pauvre Louise,

Le simple fait que tu m'en menaces me signale que tu ne le feras pas.

Adam

Adam,

Je ne suis pas et ne serai jamais ta « pauvre Louise ».

Quoique Lily n'appartienne pas au groupe de mes amies, je m'insurge contre le coup que tu fomentes. Non seulement elle est tombée dans un piège mais les apparences clament que c'est moi qui l'ai exposée au danger en la mettant entre tes mains pour dénicher un appartement puis sur ton canapé pour satisfaire ta vanité libidineuse.

Cesse aussitôt cette duperie indécente, sinon je ne t'adresse plus la parole.

Louise

P-S. Comment peux-tu me déplaire après m'avoir tant plu ? Ne t'ai-je trouvé attrayant qu'à la faveur d'une illusion ? Éclairée par ma déception, je relis notre union comme l'histoire d'une escroquerie.

Trop tard, Louise.

Je ne suis pas l'homme vertueux que tu espères. N'a pas de volonté qui veut. Tu demandes des oranges à un pommier.

Adam

Adam,

Drapeau blanc, je capitule !
Je reconnais que tu as raison.
Fin de la guerre.
Tu possèdes bien la version moderne de l'élixir : la psychanalyse déclenche à coup sûr une passion chez le patient.
L'autre jour, je ne t'avais contredit que pour le plaisir de correspondre avec toi et de faire la maligne ; en fait, je ne croyais pas une miette de ce que j'écrivais.
Bien à toi,

Louise

P-S. Abandonne ta démonstration, tu as gagné.

Chère Louise,

« Plaisir de correspondre » avec moi. Enfin, un mot amène... Le premier depuis notre séparation.

Je me réjouis que tu recherches ma compagnie. Passer sa vie à regretter un sentiment perdu n'élargit pas notre capacité d'aimer mais nous ferme à de nouveaux émois en cultivant notre amertume. L'amitié bourgeonne-t-elle ?

En ce qui concerne Lily, je te rassure : en quelques séances, mes réflexes professionnels ont pris le pas. Depuis que ta collègue est devenue ma patiente, je n'épilogue plus sur son goût extravagant pour les vêtements collants qui soulignent sa minceur et ses formes, je prête moins attention à son teint doré, à ses cheveux délicats qui volettent dans sa nuque ou à la longueur invraisemblable de ses jambes. En vérité, je me mure. Lorsque je m'assois à distance d'elle pour l'écouter, le mâle s'absente, il ne reste qu'un psychanalyste austère.

Ton ami Adam

P-S. Je m'estime, hélas, navrant de modération. De temps en temps, je raffolerais de retrouver le naturel, de laisser s'affirmer la bête en moi, de me rallier à la tendresse sans parole du sexe pour le sexe.

Cher Adam,

Le sexe n'a pas de morale, raison pour laquelle les humains s'en imposent une. Sans règles, il n'y aurait ni couples, ni familles, ni société, tout s'abîmerait dans le chaos ; grâce aux interdits, nous avons quitté la jungle pour la ville. Ne t'afflige pas d'être pondéré, Adam, cela atteste que tu as dépassé l'état de primate.

Belle révélation ? Ne me remercie pas.

En revanche, attention ! Si tu n'es plus primaire, tu peux te montrer pervers, risque guettant les esprits qui atteignent un haut niveau de raffinement. Sous les inhibitions que ta conscience t'inflige, tu continues à te consumer de concupiscence, d'autant que Lily t'a d'emblée envoûté et que tu songeas à elle pour me prouver que tu détenais le nouvel élixir d'amour.

Ne crois-tu pas qu'il vaudrait mieux la confier à l'un de tes confrères ? Frédéric Roux, par exemple, un ami auquel tu pourrais expliquer tes scrupules, évoquer notre stupide challenge – je t'y autorise. Au moins Lily serait à l'abri.

Je t'embrasse.

Louise

P-S. La neige tombe sur Montréal, plus fraîche, plus lumineuse qu'un printemps, donnant à la cité un air pimpant et virginal.

P-S *bis*. J'ai rencontré Brice, un homme qui me plaît. Il est libre, élégant, disert parce qu'il travaille dans l'édition, divorcé depuis deux ans, à l'affût d'une relation profonde, longue, sérieuse. Rien à voir avec les étudiants famé-liques qui m'accostent au cours de mes périples souterrains, excités par le contraste entre mes lectures d'intellectuelle et mes talons pointus de Parisienne. Pour l'instant, en face de Brice, je tergiverse, histoire de tester son envie, mais je crains de ne pas rester une citadelle imprenable. L'amour s'infiltre en moi.

Chère Louise,

Les femmes aiment l'amour, les hommes le font.

Ton paragraphe sur Brice me paraît consternant.

En le relisant, j'évaluais ce qui nous sépare, hommes et femmes, et complique tant nos rapports. Quand tu évoques ton perdreau décati, tu bats le tambour et sonnes de la trompe en m'annonçant un engagement sentimental. Je rêve ! Et tu assignes des délais afin de t'assurer que vous tenez l'un à l'autre – sous-entendu : je ne couche que si j'aime et suis aimée.

Quels mensonges !

Si, entre vous, ce n'était que du désir ?

le sien et le tien ? Pourquoi mêles-tu l'amour à cela ?

Adam

P-S. À l'évidence, il te leurre en prétendant chercher une « relation profonde, longue, sérieuse ». Il a dû repérer ce cliché de magazine dans un courrier des lectrices.

Adam,

Serais-tu jaloux ?
Ta colère me plaît en ce qu'elle témoigne de ton attachement.
Au fait, où en es-tu avec ma collègue Lily ?

Louise

Louise,

Je hais la jalousie et serais furieux d'en éprouver.

Adam

Adam,

On peut être maître de ce que l'on pense,
jamais de ce que l'on ressent.

Louise

Louise,

Deux éléments m'ont rebuté dans tes messages précédents :

1. Tu interprètes ma mise en garde envers Brice et toi comme l'expression biaisée de ma jalousie.

Au contraire, je t'exhorte à coucher avec lui sans t'encombrer d'hypocrisie. L'objet de mon agacement tient à la rhétorique mensongère dont vous barbouillez vos phrases, genre «liaison profonde, durable, sérieuse», cet habillage du désir qui n'ose se présenter nu.

La jalousie ne constitue pas une manifestation de l'amour mais la forme exacerbée du sentiment de propriété. Pour ma part, je n'ai jamais considéré que tu m'appartenais, ni hier ni aujourd'hui.

On nomme bien légèrement amour des pathologies sévères, telle cette obsession d'annexer à soi le corps et la pensée de l'autre en anéantissant sa liberté.

2. Je ne te donnerai aucune nouvelle de Lily. Tenu par le secret professionnel, je n'en ai pas le droit ; ses confidences, dès qu'elles franchissent le seuil de mon oreille, pénètrent une zone protégée à laquelle nul n'aura accès.

Je me contenterai de te dire que sa personnalité s'avère plus captivante que son apparence ne le laissait supposer. Une petite fille fragile, incertaine d'être appréciée, se tapit dans cette morphologie somptueuse qui affiche hardiment sa perfection. Ennemie d'elle-même, elle se jette chaque instant au vide-ordures. Rien ne trouve grâce à ses yeux, ni sa compétence – plusieurs diplômes obtenus à l'université McGill –, ni ses aptitudes linguistiques – français, anglais, allemand et espagnol maîtrisés –, ni son physique – elle se serait voulue plate ! –, ni le bleu soutenu de ses yeux où elle n'aperçoit que le chlore d'une piscine.

Paris la déstabilise en fracassant ses critères antérieurs. Prenons par exemple ses références de mode, qui proviennent des feuilletons américains, genre *Les Feux de l'amour* ou *Amour, gloire et beauté*, ces interminables sagas où des femmes aux seins refaits se disputent des hommes aux cheveux implantés : convaincue qu'il faut se peindre et se fringuer en pétasse californienne, elle détonne au milieu des Parisiennes, lesquelles cultivent un raffinement moins obscènement provocateur.

Je suis certain que les garçons avec lesquels elle a entretenu une liaison correspondaient aussi aux niaiseries hollywoodiennes, où, du chauffeur à l'analyste financier, tout mâle arbore un hâle, une carrure et des abdominaux de surfeur.

L'autre soir, bénéficiant de deux invitations à l'Opéra, j'ai emmené Lily voir *Tristan und Isolde*.

Me croiras-tu ? Alors que je la confrontais à

une œuvre difficile – quatre heures de musique, Wagner et ses divines lenteurs, un livret en allemand –, Lily connut une sorte de baptême. Plus l'orchestre murmurait ou tempêtait en déversant sur nous, depuis la fosse, sa suave et terrifiante infinité océanique, ses silences, ses retenues, ses violences, plus Lily vibrait, livrée à une houle à laquelle elle n'opposait aucun barrage. Non, elle n'écoutait pas qu'avec ses oreilles, ses poils frémissaient, son bassin tanguait, son cœur s'accélérait. Recroquevillée, les larmes à fleur de paupières, elle frissonna dès le prélude. Très vite, son souffle s'aboucha à celui d'Isolde ; il s'amplifiait, s'interrompait, synchrone jusqu'au malaise, lancé dans l'expansion lyrique, vaillant, insubmersible, finissant par se fondre avec le déchaînement des cordes en une sorte d'orgasme exalté.

In dem wogenden Schwall,
In dem tönenden Schall,
In des Welt-Atems wehendem All,
Ertrinken,
Versinken,

Unbewußt,
Höchste Lust !

Dans le flot qui monte,
Dans le son qui vibre,
Dans la grande respiration du souffle uni-
versel,
Me noyer,
M'engloutir,
Sans conscience –
Délice suprême !

Le tourment voluptueux de la musique trans-
perçait Lily, imposait sa libération magique,
l'amenant à s'oublier parmi les sons, à s'effacer
dans l'harmonie du monde qui rapproche le râle
de l'agonie et l'haleine de la vie. Sublime…

Lorsque le rideau s'est baissé sur les deux
amants enlacés, Lily n'eut pas le réflexe d'applau-
dir, comme si, errante, elle avait perdu la piste
de son corps.

Accrochée à mon bras, elle est ressortie four-
bue de cette expérience, humide, ivre de gra-
titude envers celui qui l'avait conviée à une

cérémonie ésotérique dont, par naissance et par manque d'instruction, elle s'imaginait exclue.

« Je ne savais pas que c'était possible », tel fut son unique commentaire chuchoté.

À ma grande fierté, je l'ai convertie à Wagner. Les sortilèges du vénérable enchanteur n'ont pas péri dans le formol de la culture officielle, ils agissent encore sur une jeune personne venue de Chicoutimi.

Et toi ? Profitez-vous, Brice et toi, de l'énergie musicale montréalaise ?

Bien à toi,

Adam

Brice et moi ? Tout va bien. Nous entamons un flirt.

Louise

Le flirt n'est pas de l'amour mais un désir d'amour. Tu te dissous dans des généralités abstraites. Redescends sur terre, Louise.

Adam

Puisque tu te permets de me sermonner, autorise-moi à railler ta soirée avec Lily.

Est-ce bien le rôle d'un thérapeute de sortir avec sa patiente ? Et surtout de l'emmener écouter *Tristan und Isolde*, l'opéra romantique par excellence ?

J'ai l'impression, mon cher Adam, que le philtre n'agissait pas seulement sur la scène mais dans les rangs du public : ton bulbe rachidien tient à gagner son pari en subjuguant Lily !

Louise

Je ne t'autorise pas à me donner des leçons d'orthodoxie psychanalytique !

Quoi que j'aie pu fanfaronner il y a quelques semaines, la raison m'est rendue et je te répète que l'idée même de tirer parti de ma situation professionnelle pour draguer Lily me dégoûte.

Adam

Le dégoût est l'une des formes de l'obsession : on préfère y penser avec malaise que ne pas y penser.

Louise

Puisque me justifier reviendrait à admettre que je puisse être en tort, je préfère me taire.

Je te signale cependant que cette correspondance n'aura plus de sens pour moi si tu la ponctues régulièrement d'observations qui m'ulcèrent.

À bon entendeur, salut.

Adam

Adam,

Pardonne-moi de t'avoir froissé, telle n'était pas mon intention. En te relisant, j'ai compris tes arguments et je rebrousse chemin.

Mea culpa. Mea maxima culpa.

De toute façon, je suis désormais tellement radieuse auprès de Brice que, même en cas de désapprobation, je t'accorderai une bienveillance extrême.

Si j'ai réagi avec férocité l'autre jour, c'est parce que tu m'avais accusée d'enfouir mes désirs envers Brice, et tu avais raison : depuis que nous avons passé une nuit ensemble, nous filons une parfaite idylle.

Alors je t'envoie cette remarque : ne te

masques-tu pas un impérieux penchant pour Lily ?

Pourquoi l'occulter ?

Où est le mal ?

Personnellement, une telle attirance ne m'offusque en rien.

Et, je t'en prie, ne stigmatise pas mon audace. Prétendrons-nous à l'amitié si je ne peux te souffler la vérité ?

Bien à toi,

Louise

Chère Louise,

Ta lettre m'a procuré un bien fou ! Sans elle, aurais-je été capable de me mesurer à ce que je viens de vivre ?

Hier, à la consultation, pendant notre séance du jeudi, Lily s'est interrompue brusquement au milieu d'un souvenir, s'est tournée vers moi, debout, rougissante, puis s'est exclamée :

– Je vous aime.

Je me suis dressé à mon tour et j'ai crié :

– Moi aussi.

Lily a fondu en larmes et nous nous sommes jetés dans les bras l'un de l'autre. Le soir même, nous étions amants.

Depuis, nous ne nous sommes pas quittés.

Merci, ma Louise, merci pour ta rude amitié qui m'a éclairé.

Quelle jubilation ! Tout en moi vacille... J'avais oublié combien la passion, l'exquise, enivrante et farfelue passion, enchantait l'univers. Vers vingt-trois heures, au sortir du lit, harassés mais détendus, nous avons gagné la brasserie Colbert, sa salle aux lampes rondes, aux nappes de lourd coton, aux banquettes en cuir tanné, bruissante de comédiens venus festoyer après le spectacle, parcourue de serveurs stylés surgis du siècle précédent avec des huîtres, des crevettes et des crabes qui échouaient frais dans notre assiette comme si la cuisine donnait sur une grève à marée basse. J'exigeai ensuite du taxi quelques détours pour traverser des rues fêtardes, illuminées, insolentes d'allégresse, ignorant le travail autant que le repos. Appuyée contre mon épaule, Lily ronronnait d'aise, persuadée que je ne lui offrais pas seulement mes bras, mais une ville, un pays, un continent fabuleux.

Ce matin, en descendant chercher le petit déjeuner, j'ai eu l'impression que c'était la première fois que ma rue recevait l'aube, la première fois que le ciel avait cet éclat mercurien, la première fois que les hautes façades crème me souriaient, que la boulangère me saluait mutinement, que le croissant libérait cette saveur de beurre doré, que le café instillait sa puissance âcre et roborative en moi. En quelques heures, Paris a mûri : il est devenu une ville effrontée, enjôleuse, excitante, prodiguant des porches pour s'enlacer, des bancs pour s'embrasser, des quais pour promener nos rêveries. Adieu le bruit, le trafic, le stress, le labeur, la surpopulation : Lily et moi marchons dans un sublime décor silencieux, aussi romantique que nous.

Aujourd'hui, j'ai fait croire à mes patients que je souffrais d'une indisposition ; demain nous filerons en voiture à Trouville – Lily découvrira que la Normandie constitue la plage de Paris.

L'amour a dû être inventé pour poétiser la vie.

Bien à toi,
Avec mon affection fidèle,

Adam

Cher Adam,

Le destin aura donc voulu que nous recouvrions le bonheur en même temps, toi avec Lily, moi avec Brice. Que ces couples nouvellement formés ne ternissent pas notre passion antérieure mais se perpétuent sous l'œil favorable de notre amitié, cela aussi représente un cadeau.

Je n'aurais jamais imaginé une issue joyeuse à notre histoire.

Permets-moi de t'adresser ces mots rudimentaires : sois heureux.

Ta Louise

P-S. Brice, à qui j'ai raconté ta liaison avec Lily, se joint à moi pour vous souhaiter le meilleur.

Chère Louise,

J'avais oublié à quoi servaient les nuits.

Au retour de Trouville où nous avons passé tant d'heures à cabrioler, ne sortant de notre chambre que pour avaler des fruits de mer ou boire le vent océanique, nous avons repris le travail à Paris.

Je dors peu. Ce n'est pas de sommeil que j'ai besoin, mais de Lily. La serrer contre moi, la câliner, la pénétrer, discuter après la jouissance, voilà ce qui me repose. Le reste m'indiffère.

Chaque nuit, nous avons l'impression d'être deux Robinson qui partagent une île déserte ; nous nous étreignons, conscients qu'un jour un bateau va glisser sur la ligne de l'horizon et nous proposer de regagner le monde normal. Que ce soit le plus tard possible !

Et toi ? Parle-moi donc de Brice.

Adam

P-S. Lily emploie le même parfum que toi, le très rare *Cuir de Russie*. Incroyable, non ?

Cher Adam,

Tu nous décris mieux que je n'y réussirais.

De mon côté, c'est aussi un jeu délectable. J'expérimente avec Brice la félicité des commencements, lorsqu'on découvre tout du partenaire, son corps, son odeur, ses caresses, sa conversation, son visage au réveil, ses goûts, ses soucis, ses maladresses, ses souvenirs, son humour. J'ouvre un livre prometteur. Chaque élément semble neuf, même les premières habitudes.

Je coule des moments agréables auprès de lui. Pourtant, je ne peux me retenir de les confronter à ceux que nous avons connus, toi et moi, et ce roman se dessine fragilement.

Notre histoire demeure la plus grande.

La beauté du premier amour vient de ce qu'il n'est pas encore hanté par sa fin, on y croit le présent éternel, on ignore l'épuisement. Après, la charogne du premier amour infecte les suivants.

Il n'empêche…

Les comparaisons que mon esprit opère malgré moi ne servent guère Brice qui me paraît moins engageant que toi… à moins que ce ne soit moi qui rechigne à m'engager. Notre relation a davantage l'aspect d'une aventure réussie que sa réelle teneur. Quelque chose – quoi ? – reste fade, incolore.

Cher Adam, je n'ose énoncer cette réticence que parce que, toi et moi, nous sommes désormais protégés l'un de l'autre par nos nouvelles vies. Cependant j'insiste : pourquoi notre liaison n'a-t-elle pas duré ?

Ta Louise

Ma chère Louise,

Notre liaison a cessé de durer parce qu'elle durait. Le temps n'est pas l'allié de l'amour, il ne favorise que l'amitié.

Lorsqu'on rencontre des vieux mariés dont les corps ont moins soif de volupté, on suppose que l'accoutumance assèche l'envie, mais je crains qu'il s'agisse d'un tarissement autrement grave : l'attachement élimine l'ardeur. Plus le lien croît, plus il quitte l'épiderme. Quelle traîtrise insidieuse ! Alors que l'attrait conduit les amants à se cajoler, s'embrasser, s'unir, l'affection mutuelle évince peu à peu le contact. L'amour vient par la chair puis l'écarte.

Nous sommes contradictoires, ma chère Louise, vu que deux forces divergentes nous animent.

L'amour cultive la connaissance, le désir vénère l'inconnu. Tandis que l'amour reste loyal jusqu'au dernier soupir, doigts, paumes, bouche, pénis, bas-ventre sont des aventuriers toujours sur le qui-vive, prêts à emprunter de nouvelles destinations, attirés par le différent, le singulier. Au contraire du sentiment qui cherche la permanence, les pulsions renaissantes ont l'appétit du changement. Qui mangerait le même aliment tous les jours de sa vie ?

Ma passion pour Lily, comme celle que j'ai éprouvée pour toi, disparaîtra. Cela ne m'égaie pas mais je le conjecture. Pis : je le sais. Mon seul vœu, c'est que ce soit tardif et simultané. Voilà ce qu'on appelle un engouement heureux : une relation qui s'anéantit dans une destruction synchrone.

Il n'y a qu'un drame cruel en amour, c'est que l'un des partenaires soit en avance sur l'autre, soit par son désir, soit par le déclin de son désir.

Ton ami,

Adam

P-S. Mon suicidaire se marie !

Cher Adam,

Une question me chatouille les lèvres : vois-tu
des femmes ou seulement Lily ?

Louise

Rien que Lily.

Adam

Quel chamboulement par rapport aux mois précédents !

Louise

Auparavant, je me gavais de femmes avec une fréquence qui tenait plus de l'obstination que de l'envie. Sans doute cherchais-je à t'oublier, ma chère Louise ; sinon toi, notre échec. M'estimer hautement libidineux m'arrangeait.

Ce n'est pas toujours à la vertu qu'on se contraint le plus.

Adam

Cher Adam,

Nous sommes partis à la campagne, Brice et moi, dans sa maison des Laurentides, proche du mont Tremblant.

Quel exotisme ! Imagine des heures de route, des sapins géants, des pentes qui montent infatigablement, des chaussées coincées entre des murs de gel, un ciel d'un bleu saturé si lumineux qu'on ne peut le fixer sans cligner des paupières, puis soudain le répit de chalets posés çà et là, coquets, bruns, proprets, aussi sages que des maquettes. Pendant le voyage, j'avais l'impression que, Brice et moi, nous retournions en enfance, Hänsel et Gretel s'enfonçant dans un monde de conte, la luxuriante forêt qui rend chacun minuscule, les étendues éblouissantes où la neige – tantôt poudre, tantôt glace, tantôt yaourt – s'amuse de ses métamorphoses. Depuis que nous nous sommes réfugiés à la cabane en rondins, je jauge l'importance d'un foyer, délice que j'avais oublié à force de séjourner en pays clément. Redécouvrant la frontière entre le dehors et le dedans, j'adule les cloisons denses, je goûte l'intimité qu'apportent les tissus – plaids de cachemire, châles en angora, couvertures molletonnées – et je me précipite vers le feu comme une fillette auprès du père protecteur.

Si tu nous avais vus hier soir, Brice et moi, tu aurais eu le droit de te moquer : monsieur Cro-Magnon et madame Cro-Magnone, deux humains nus, enveloppés de fourrures, assis devant la télé, commentant un match de hockey. Qui aurait cru que je vibrerais pour une rondelle que se disputent des malabars armés de bâtons ? Tours et détours du bonheur… Nous étions ridicules, j'en conviens, pourtant comblés.

Et toi ? Avez-vous récidivé en Normandie ou restez-vous à Paris ?

Je me réjouis que tu partages de beaux moments avec Lily ; cependant, une question me taraude : n'es-tu pas gêné par le déclenchement étudié de sa passion ?

Souviens-toi que tu m'avais annoncé crânement pouvoir provoquer l'amour ; parce que je renâclais, tu as décidé de me le prouver avec Lily.

Aujourd'hui tu y es parvenu. Bravo. Mais as-tu oublié le procédé ? L'élixir a-t-il disparu de ta mémoire ?

Moi, à ta place, je me défendrais mal d'une appréhension. Quel élément de son attachement tient à la formule ? Et lequel ne tient qu'à toi ?

La tocade de Lily s'avère plus mécanique qu'enracinée. Si, ainsi que le maintiennent les psychanalystes, le transfert affectif a toujours lieu au cours d'une cure, le béguin de Lily te vise parce que tu es son thérapeute, pas parce que tu es toi ; il s'appliquerait aussi bien à un autre soignant. Lily te porte une vénération impersonnelle en quelque sorte.

Je me fourvoie, probablement... Comme je présume que tu possèdes déjà une réponse très élaborée, éclaire-moi.

Amicalement,

Louise

Tu confonds, ma chère Louise, le déclenchement de l'amour et son développement.

Certes, j'ai artificiellement causé la passion de Lily mais, maintenant que cette passion existe, elle se précise, devient concrète, réelle, singulière, nourrie de moi, de ce que nous partageons, de ce que nous construisons. L'élixir apporta l'allumette ; ensuite, les flammes menèrent leur vie propre ; l'incendie est nôtre.

Pour le saisir, observe une maladie psychosomatique : l'esprit la suscite mais après, qu'elle soit rhume, indigestion, eczéma, cancer, elle se développe dans l'organisme à son rythme, autonome, échappant aux ruminations qui l'occasionnèrent. Même si le sujet assimile l'origine mentale de sa déliquescence, le désastre persiste. Le regretterait-il, cela n'inverserait rien.

Quoique l'engouement de Lily ait été provoqué par moi, il respire, robuste, intense, d'autant plus personnel que j'ai quitté mon rôle de médecin pour ne garder que celui de tourtereau.

Bien à toi,

Adam

Compris : tu as lancé la pierre et elle roule toute seule.

Mais qu'arriverait-il si Lily apprenait ce que tu as fait ?

Louise

Qui le sait, à part toi?

Adam

P-S. Peu importe… Si Lily découvrait le sub-
terfuge, la nouvelle ne la dérangerait guère.
Trop tard. Mieux, je profiterais de cette indis-
crétion pour progresser en sincérité, lui avouer
que je l'ai aussitôt désirée, que je l'ai acceptée
parmi mes patients dans le seul dessein de
l'aimer.

Adam,

Tes formulations sonnent bizarrement…

Alors que tu manipules Lily, tu sous-entends que le destin t'a manœuvré, toi aussi. Comme s'il y avait une force obscure, contraignante, qui te conduisait à t'enticher d'elle…

Louise

P-S. Est-on libre d'aimer ?

On peut refouler l'amour, refuser qu'il nous emporte dans ses flots torrentiels.

J'ai peur que notre liberté ne se révèle que négative, un veto crispé, le rejet effrayé de ce qui nous dépasse. Notre seul pouvoir : rater le rendez-vous que nous donne le bonheur.

Adam

Cher Adam,

Dès lors, la question devient : est-on libre d'aimer tel ou tel ?

Choisit-on ?

Est-on choisi ?

En te rencontrant, Adam, j'ai connu le coup de foudre. « C'est lui ! » clamèrent mes sens et mon intelligence.

Ces derniers mois, je concluais que mes sens et mon intelligence avaient émoussé leur jugement puisque nous nous sommes quittés au bout de cinq ans.

Aujourd'hui, je me demande s'ils se trompaient tant... On gâche l'amour en voulant l'éterniser. Mieux vaut le cueillir quand il existe, cela constitue un cadeau suffisant.

Le bonheur ne chausse que les bottes du provisoire. Qui nous a certifié le contraire ?

Dans une vie humaine, toujours est toujours éphémère.

Ta Louise

P-S. Étonnante correspondance que la nôtre : nous ne parlons pas d'amour mais nous parlons sur l'amour.

Chère Louise,

Quelle coïncidence ! Tu évoques le coup de foudre. Cet événement est l'un de ceux qui obsèdent ma réflexion et que je tente de comprendre depuis longtemps, qu'il concerne mes patients ou moi-même.

Comment s'opère le foudroiement ?

Une invasion ou une révolution intestine ?

Soit la foudre provient du monde, soit elle sort de nous, de cette zone indistincte et intime où nous désirons.

J'aurais envie de répondre qu'il s'agit d'un double déclenchement, le feu qui surgit du corps étranger convoité, le feu qui exsude du corps convoitant.

Lorsque je t'ai rencontrée, je portais en moi un authentique besoin d'amour. Par ton magnétisme, tu as été à la fois la cause et le révélateur de cet amour. Sans doute t'ai-je croisée au moment propice…

Après notre séparation, j'ai vraisemblablement rééprouvé, sous la forme de douleur, ce même besoin. Lily est apparue…

L'opportunité fait l'amoureux. Et l'amour fait l'opportunité.

Bien à toi,

Adam

P-S. Mon suicidaire voulant me convier à son mariage, Lily me presse d'accepter, curieuse d'assister à des noces françaises, mais pour l'instant, je retiens son zèle d'ethnologue. Je crains que mon accord encourage mon patient à me promouvoir ensuite parrain de ses enfants, témoin de leur communion, je ne sais quoi encore. Ça sent dangereusement la dragée…

À propos de dragées, as-tu jamais songé à te marier ?

Louise

Qui entrerait en prison de son plein gré ?

Je ne suis pas partisan de la servitude volontaire. Les vœux que prononcent les fiancés devant le maire et leurs familles me paraissent utopiques, obsolètes, faux, choquants. On ne me fera jamais jurer une fidélité que je ne saurai observer, tant il appartient à la nature virile de butiner çà et là ce qui lui fait plaisir. Je respecte trop ma parole pour l'engager à ces naïvetés.

Cependant, lorsque je considère combien ma Canadienne s'est divertie, hier, au mariage de mon patient, à quel point elle goûta chaque instant de cette fête, je me dis que, si Lily le souhaitait, je serais capable de transgresser mes principes et de lui prodiguer cette joie.

Adam

P-S. Tu vois, ma chère, comme je suis mordu !

Louise,

Vite, réponds-moi !

Lily m'annonce que son patron la mute en Australie. Est-ce vrai ?

Puisque vous appartenez à la même agence, tu dois avoir le moyen de le savoir.

Ou Lily s'amuse-t-elle à me torturer gentiment ?

J'ai besoin d'un rapide retour d'informations car je suis au bord du malaise.

Adam

Mon cher Adam,

Je quitte à l'instant le directeur : il m'a
confirmé la nomination de Lily dans notre suc-
cursale de Sydney.

Louise

Je suis effondré.

Adam

Bats-toi !

Louise

Je ne lâche pas Lily.

Je lui fais l'amour, je lui parle d'amour. Me voilà condamné à expliciter ce qu'exprimaient auparavant mes caresses, mes baisers, mes regards. J'ai accroché au vestiaire mon armure d'homme distant, blagueur, plus ironique qu'expansif, et je vire au bon toutou, dévoué, démonstratif. Cela me coûte mais je suis décidé à avancer nu, faillible, avec mes sentiments.

Hors de question que Lily parte !

Notre histoire a démarré à 200 kilomètres à l'heure : non seulement elle doit nous mener loin, mais je n'imagine pas qu'il soit possible de freiner à une telle vitesse.

Adam

Mon cher Adam,

Excuse-moi de t'accabler. Au nom de notre amitié, je ne garderai pas le détail que je viens d'apprendre : avant même d'atterrir à Paris, Lily savait qu'elle irait à Sydney. En réalité, son séjour en France a toujours été considéré par la direction comme un tremplin pour son envol en Australie.

Moi, je l'ignorais. Elle, ne te l'a-t-elle jamais précisé ?

Louise

Ce que tu me dis, ce que j'ai discerné ces derniers jours altèrent ma vision de Lily.

Elle se comporte comme un homme – je veux dire un homme de chez nous, un Européen ! Ambitieuse et sournoise, elle a dissimulé son plan de carrière. Un bloc d'insensibilité. Une forteresse de mutisme.

Quelle ironie ! Lorsqu'elle s'allongeait sur mon divan, elle narrait son enfance, ses liaisons, ses fantasmes, ses déceptions, ses pulsions, me donnant l'impression de livrer son intimité, mais elle se gardait de dévoiler l'essentiel. Si elle m'ouvrait les champs de sa vie privée, elle me dérobait le seul qui lui importât vraiment : son objectif professionnel. Quand nous sommes devenus amants, elle ne m'en a pas révélé davantage.

Comment aurais-je pu soupçonner que sa réussite sociale, sa promotion, son ascension financière comptaient plus que tout ? Nous n'avons pas ce genre de femmes ici. Les Françaises qui misent leur sort sur le travail soit l'affichent, soit compensent une prestance ingrate. Bref, c'est tangible. Tandis que Lily, sa joliesse, son absence d'agressivité, sa candeur m'ont empêché de cerner ses visées véritables.

Depuis une semaine, je l'implore de se raviser ! Paris reste une ville dynamique où elle pourrait accéder à une haute position, d'autant qu'elle jouxte Londres et Berlin par train ou par avion. Tu ne peux dénombrer les arguments que j'ai déployés, les documents que j'ai réunis, les coups de fil que j'ai passés et les relations que j'ai mobilisées – j'ai mis mon réseau et mon intelligence à ses pieds.

Hélas. Plus j'insiste, plus elle me toise. « Tu ne vas pas prétendre me pistonner, tout de même ? » s'est-elle indignée. À mesure que je hurle ma passion, elle se refroidit, son regard se durcit, son corps se rétracte. Dans mes supplications, mes larmes, elle ne repère aucun dévouement, juste la fureur d'un machiste qui voudrait lui prouver sa puissance et lui ôter la liberté.

Je ne l'ai pas ébranlée. Pis, j'ai gagné son dédain. Non seulement elle a réintégré son studio, mais nous ne nous touchons plus ; elle refuse que je la rejoigne pour le déjeuner ou que je l'attende à la sortie de son cabinet. Hier, elle m'a même menacé de porter plainte car elle perçoit mon empressement fiévreux comme du harcèlement.

Je suis désespéré. Bien que cet épisode me contraigne à la juger différente de la personne que j'avais imaginée, je ne cesse de l'adorer, chaque heure de séparation me déchirant le ventre. Le sommeil m'a fui. Je peine à me concentrer sur mes patients. Tout m'agace. Je souffre.

Adam

Louise,

Lily a disparu ce matin.

Jusqu'au bout elle s'est jouée de moi. Je croyais que son avion ne s'envolait que dimanche et comptais sur cette semaine pour produire un miracle ; elle m'avait indiqué une fausse date de départ.

Peut-être ne souhaitait-elle pas me dire adieu…

Comment peut-on se montrer aussi inflexible ? Change-t-on ? M'a-t-elle aimé un jour ?

J'en viens à contester la réalité de ce que nous avons vécu.

Enfin, non, ma douleur me fait bien sentir que ce fut vrai.

Oh Louise, je m'enlise…

Adam

Mon cher Adam,

Alors que je continue ma vie, normale en sur-
face puisque j'abats de la besogne, rayonnante
en apparence dans la mesure où je ne quitte plus
Brice, une part de moi habite Paris, se cogne la
tête au mur, rugit, pleure, rage. C'est la part qui
t'est liée, Adam, celle qui ne t'a jamais quitté,
l'âme jumelle de mon frère jumeau.

Je compatis. Lily t'a frappé avec violence en te
camouflant ses réelles intentions, en s'enfuyant
sans reconnaître le chagrin qu'elle t'inflige.

Comment a-t-elle pu piquer ses cruelles ban-
derilles sur un homme si fascinant ? Dès que l'on
te rencontre, on décèle un gentil sous le poseur
caustique. Tes efforts pour sembler bourru,

cynique, appellent la mansuétude tant ils s'avèrent gauches. Il n'y a que tes remarques – souvent – et ta barbe – parfois – qui piquent ; en vérité, ta joue se révèle douce et ton esprit affable.

D'après mes associés, Lily agit en prédatrice. Elle se sert des hommes puis les jette. Elle n'obéit qu'à son intérêt, une caractéristique ni rare ni stupéfiante, mais qu'escamote l'aspect candide de son physique, un peu niais à force d'être parfait.

Remets-toi, Adam. Sois lucide. Et surtout souviens-toi : c'était un jeu ! Ton aventure avec Lily, tu l'as voulue, pas subie, attendu que, par défi, tu as eu recours à ton élixir. Si tu as décidé la naissance de cet amour, décrète sa mort. Cela reste en ton pouvoir.

Ton amie,

Louise

Chère Louise,

Quand je la saisis entre mes mains, ma tête pèse plus lourd qu'une montagne.

Impuissant…

Ce que j'ai su faire, je ne sais le défaire. Je m'estimais le maître de ma passion, je suis devenu son esclave.

La pierre roule et poursuit son chemin.

Cette pierre, qui l'a lancée ? Si j'ai provoqué volontairement l'attachement de Lily, qui a provoqué le mien ?

Tant pis. Peu importe. L'amour est là, ce salaud. Je ne parviens pas à m'en débarrasser. Tel est pris qui croyait prendre.

Dans ma chambre, à cette heure exempte de

lumière, je regarde au-dehors les murs grisâtres et les ardoises disjointes que parcourent les pigeons crasseux sautillant d'une cheminée délabrée à une antenne de guingois. Paris me dégoûte. Quelle ville prétentieuse ! Elle se voit belle, cette souillon arrogante qui arbore des airs de princesse, alors qu'elle pue, qu'elle pourrit, qu'elle sombre. Et moi, vaniteux, qui tiens à rester « parisien », comme si je détenais un titre de noblesse, comme si une telle somme d'emmerdements m'élevait au-dessus des mortels. Chimère…

Mon appartement me révulse. Tout y est morne, aligné, dépourvu de brillance ou d'aspérité. La fadeur règne. Il ne me paraît vaste que parce qu'il coûte cher. Ah oui, c'est spacieux, vingt-cinq ans de crédit !

Me voici retombé sur terre, ça fait mal au cul : Paris est laid et le bonheur impraticable.

Les illusions se dissipent. Les choses m'arrivent nues, sans un mystère prêté, sans des épaisseurs supposées, sans que je puisse les habiller de mes désirs. Seule l'imagination rendait mes jours supportables. L'amour est une preuve que nous ne percevons la réalité qu'à travers le filtre de nos fantasmes ; pis, il démontre que la réalité n'est pas grand-chose.

L'objectivité finira par me pousser à ouvrir cette fenêtre et à me jeter dans le vide.

Le vide du néant vaudra toujours mieux que ce vide-là, insipide, cotonneux, celui où je tournaille en me morfondant.

Clairement, Louise, je ne vis que par routine. Même si je ne suis pas mort, je rejoins mon ombre. D'autant que je ne peux me réfugier dans le travail puisqu'il me ramène, de patient en patient, au malheur, à l'essentiel malheur, aux problèmes que j'éprouve… Plus malade que médecin, par peur de la contagion, j'ai confié hier mes clients à Frédéric Roux. Fermée, la boutique ! Rideau ! Guérir les gens… Mais les guérir de quoi ? Aujourd'hui, mon suicidaire, je lui tendrais un revolver chargé dès la première séance – de toute façon, il s'est marié, ce qui représente une forme lente d'autodestruction.

À ce point de clairvoyance lugubre, il m'est facile d'expliquer la vie mais impossible de la défendre.

L'existence ? Un égarement provisoire.

La solution ? La mort.

Or je n'en ai guère l'audace... Encore plus lâche que déprimé ! Sitôt qu'il vient au monde, un nourrisson est assez vieux pour souffrir. Il faudrait se faire péter le caisson dès la maternité. L'inconfort de la condition humaine ne tient pas à l'absence de lucidité, mais au manque de courage.

Je m'interromps, je cesse de délayer ma haine, mon chagrin ne vaut pas ta pitié. Il y a des états aussi humiliants à raconter qu'à endurer.

Pourtant, t'écrire, tracer ton nom, combiner ces phrases à ton intention m'a procuré une sorte de satisfaction. Oui, Louise, au cœur de la brume où je me débats surgit parfois une lueur faible, reculée, qui me persuaderait presque qu'il ne faut pas désespérer : toi.

Dommage que tu demeures si loin. Et quelle désolation que tu sois heureuse avec Brice. Sinon...

Adam

P-S. Enfin, méfiance, méfiance, méfiance…
Je pense peut-être cela parce que je le sais irréalisable. Tout se brouille.

P-S *bis*. Salaud de Brice !

Cher Adam,

Il n'y a aucun obstacle entre toi et moi.
L'océan ? Il se franchit en avion.
Brice ? Il n'existe pas.
Je t'attends.

Louise

Pardon ?

Adam

J'ai menti.

Depuis mon emménagement à Montréal, en dépit de ma colère, malgré ma confiance meurtrie et mon désir de plaire, je n'ai fréquenté personne.

Un jour, parce que tu m'agaçais en évoquant tes conquêtes féminines, j'ai inventé Brice.

Les confidences n'ont qu'une seule raison d'être, simplifier la vie de celui qui les fait. En créant ce galant fictif, je me protégeais et te laissais le champ libre pour te livrer. Je tentais aussi de te détrôner, de te supplanter, de t'oublier, ne serait-ce qu'en imagination.

Je n'y suis pas parvenue. Je t'attends.

Louise

Chère Lily,

Ta lettre m'a surprise et m'a fait rougir. Elle m'a d'autant plus étonnée qu'elle surgit six mois après ton débarquement en Australie.

Je te remercie de me témoigner ta reconnaissance.

Précisons que tu exagères mon influence en affirmant me devoir ta promotion à Sydney. Certes, il m'a fallu ferrailler pour dégager le terrain auprès de la direction car ton rival, Joss Gardon, estimait que cette nomination lui était réservée ; cependant, je ne suis pas responsable de ses gaffes lors de l'affaire Primerose ni de l'excellence sans faille avec laquelle toi, en revanche, tu as depuis toujours mené tes négociations. À coup sûr, la direction n'a pas seulement écouté mes conseils, elle a suivi la rationalité et choisi la meilleure candidate. Néanmoins, je suis sensible au fait que tu perçoives mon modeste rôle dans ton ascension au sein de notre cabinet international. C'est généreux de ta part.

Tu m'annonces que tu te plais beaucoup à Sydney. En retour, je te réponds que Montréal m'enchante. J'envisage d'y rester. Paris ne constituera désormais qu'un lieu de brèves vacances. Auprès des larges boulevards québécois où le ciel et le vent s'engouffrent librement, la vétuste Lutèce risque de me paraître étouffante ; en contraste avec les rapports débonnaires, directs, qui régissent les gens ici, les finasseries germano-pratines où la vanité et le pouvoir pèsent davantage que le fond vont taper sur mes nerfs régénérés. Lorsque je détaille ma vie antérieure, j'ai le sentiment de profiter ici d'une sorte de convalescence.

Ah, d'ailleurs, j'utilise ce courrier pour te rendre grâce de l'honnête entretien que tu as eu avec moi lors de ton escale parisienne en me demandant si tu pouvais sortir avec Adam, mon ex-compagnon. Même si notre histoire était terminée et si je ne me sentais plus aucun droit sur lui, j'ai goûté ta délicatesse.

Après mon « autorisation », je n'ai jamais su ce qui s'était produit. Ni par toi. Ni par lui. Rien à l'évidence puisque tu as continué ton parcours et que lui m'est revenu.

Oui, Lily, il y a quatre mois, Adam est descendu de l'avion en m'annonçant qu'il brûlait de m'épouser. Rends-toi compte : il a renvoyé ses patients et décidé d'exercer désormais à Montréal. Uniquement pour moi ! « Ta carrière compte plus que la mienne », m'a-t-il assuré, « et tant pis si j'empoche moins. » Un Français déclarant que la réussite professionnelle de sa conjointe passe avant la sienne, mes oreilles n'auraient jamais cru l'entendre.

Je suis touchée, d'autant qu'Adam me semble exténué. Qu'a-t-il vécu ? Ou que n'a-t-il pas vécu ? Je l'ignore. Visiblement, il a traversé – traverse encore – une déprime, il ne dégage plus l'entrain et l'enjouement que je lui ai connus.

Je m'en moque... Se retrouver ce n'est pas

être heureux mais cesser d'être malheureux ; telle une cure, c'est un peu lent, muet, quasi morose, mais je préfère cette maussaderie à ma souffrance précédente.

À l'occasion de mes vingt ans, une voyante m'avait dit : « Quand vous ne chercherez plus le bonheur, vous serez exaucée. » J'aborde cette étape-là. D'expérience, je sais que l'existence ne se compose pas que d'élans, d'enthousiasmes, de feu, mais aussi de compromis, d'oublis, d'opiniâtreté.

Ma jeunesse trépassa à Paris lors de notre séparation.

Depuis qu'Adam m'a rejointe à Montréal, j'étrenne ma maturité.

Entre nous ne circulent plus la passion, la colère, la haine qui nous électrisaient, mais s'épanouissent la confiance, l'abandon, la clémence. Jadis nous nous affrontions ; nous nous adoptons aujourd'hui. Parfois, prise d'une bouffée de pessimisme, je soupire en m'avouant que j'offre à Adam le havre d'une douce défaite ; la plupart du temps pourtant, je respire à pleins poumons avec la certitude que je lui suis chère.

Tu dois sourire en me lisant, Lily, car toi et moi, nous évoluons aux antipodes, pas seulement géographiques mais sentimentaux. À tes yeux, le succès consiste à conquérir ; aux miens, à conserver. Quelle différence !

Qui a tort ? Qui a raison ?

Aucune de nous deux.

L'amour échappe à la logique, n'appartenant ni aux raisonnements, ni aux preuves, ni à la vérité : il relève du choix personnel.

Au Grand Siècle, le philosophe Pascal, constatant qu'on ne pouvait démontrer l'existence de Dieu, proposait un pari. Parmi des millions d'incertitudes, il justifiait qu'il y avait plus à gagner si on croyait en Dieu et si on le respectait qu'en n'y croyant pas.

Je pense qu'il en est de même pour l'amour. Parions sur lui. Faisons-le exister. Qu'il demeure mon défi. L'amour m'intéresse davantage que la séduction, la jouissance, voire le bonheur.

Je te souhaite la réussite dans ta nouvelle vie australienne et j'attache à ma lettre un flacon de *Cuir de Russie*, ce parfum que tu avais adopté sitôt que je te l'avais offert, juste avant ton départ à Paris. L'apprécies-tu encore ?

Louise

P.-S. Il y a un an, lorsque j'ai atterri à Montréal, désespérée par ma rupture, j'ai rêvé un soir qu'il existât un élixir capable de rappeler l'être aimé. Aussi curieux que cela paraisse, je ne me suis sans doute pas contentée de l'appeler de mes vœux, je l'ai trouvé.

DU MÊME AUTEUR

Aux Éditions Albin Michel

Romans

LA SECTE DES ÉGOÏSTES, 1994.
L'ÉVANGILE SELON PILATE, 2000, 2005.
LA PART DE L'AUTRE, 2001.
LORSQUE J'ÉTAIS UNE ŒUVRE D'ART, 2002.
ULYSSE FROM BAGDAD, 2008.
LA FEMME AU MIROIR, 2011.
LES PERROQUETS DE LA PLACE D'AREZZO, 2013.

Nouvelles

ODETTE TOULEMONDE ET AUTRES HISTOIRES, 2006.
LA RÊVEUSE D'OSTENDE, 2007.
CONCERTO À LA MÉMOIRE D'UN ANGE, Goncourt de la nouvelle, 2010.
LES DEUX MESSIEURS DE BRUXELLES, 2012.

Le Cycle de l'invisible

MILAREPA, 1997.

MONSIEUR IBRAHIM ET LES FLEURS DU CORAN, 2001.

OSCAR ET LA DAME ROSE, 2002.

L'ENFANT DE NOÉ, 2004.

LE SUMO QUI NE POUVAIT PAS GROSSIR, 2009.

LES DIX ENFANTS QUE MADAME MING N'A JAMAIS EUS, 2012.

Essais

DIDEROT, OU LA PHILOSOPHIE DE LA SÉDUCTION, 1997.

MA VIE AVEC MOZART, 2005.

QUAND JE PENSE QUE BEETHOVEN EST MORT ALORS QUE TANT DE CRÉTINS VIVENT, 2010.

Théâtre

*Le Grand Prix du Théâtre de l'Académie française
a été décerné à Éric-Emmanuel Schmitt
pour l'ensemble de son œuvre*

LA NUIT DE VALOGNES, 1991.

LE VISITEUR (Molière du meilleur auteur), 1993.

GOLDEN JOE, 1995.

VARIATIONS ÉNIGMATIQUES, 1996.

LE LIBERTIN, 1997.

FRÉDÉRICK, OU LE BOULEVARD DU CRIME, 1998.

HÔTEL DES DEUX MONDES, 1999.

PETITS CRIMES CONJUGAUX, 2003.

MES ÉVANGILES (*La Nuit des Oliviers, L'Évangile selon Pilate*), 2004.

LA TECTONIQUE DES SENTIMENTS, 2008.

UN HOMME TROP FACILE, 2013.

THE GUITRYS, 2013.

LA TRAHISON D'EINSTEIN, 2014.

Site Internet : eric-emmanuel-schmitt.com

Composition : IGS-CP
Éditions Albin Michel
22, rue Huyghens, 75014 Paris
www.albin-michel.fr
ISBN broché 978-2-226-25619-5
ISBN luxe 978-2-226-18472-6
N° d'édition 21298/01 – N° d'impression :
Dépôt légal : mai 2014
Imprimé au Canada